Direction générale : Gauthier Auzou
Responsable éditoriale : July Zaglia et pour la présente édition : Marine Courvoisier
Mise en pages : Alice Nominé
Responsable fabrication : Jean-Christophe Collett – Fabrication : Nicolas Legoll
www.auzou.fr

Jacques et le haricot magique

D'après un conte traditionnel anglais

Illustrations de Virginie Guérin

AUZOU

Jacques vivait avec sa maman dans une toute petite maison. Sa mère effectuait de menus travaux de couture, pendant que Jacques s'occupait du jardin potager et de leur unique vache, Doucette. Cette année-là, l'hiver fut très froid, et au printemps, le potager ne donna presque rien.
Un matin, la mère de Jacques lui annonça avec tristesse :
« Nous ne pouvons plus nourrir Doucette. Il faut aller la vendre au marché. »

Comme elle travaillait jusqu'au soir, elle demanda à
Jacques d'emmener le pauvre animal. Jacques s'en alla
donc, menant Doucette au bout d'une corde.
En chemin, il rencontra un vieil homme.
« Où vas-tu avec ta jolie vache ? demanda-t-il à Jacques.
– Je vais la vendre au marché, répondit-il, car maman et
moi avons grand besoin d'argent.
– Je te l'achète contre ces graines magiques de haricot,
fit le vieil homme. Grâce à elles, ta mère et toi oublierez
à jamais tous vos soucis. »

Jacques voulait par-dessus tout faire plaisir à sa maman.
Il accepta sur-le-champ.
« Attention ! dit encore le vieil homme. Grâce à ces graines,
tu pourras découvrir un trésor qui m'a été volé voilà bien
longtemps par un géant terrible et vorace. Si tu parviens à
le récupérer, il t'appartiendra.
– D'accord », répondit Jacques, content d'avoir fait une affaire.

Lorsque sa maman vit que Jacques rapportait des graines
de haricot à la place de l'argent, elle lui arracha le sachet et,
désespérée, jeta les graines par la fenêtre.

Le lendemain matin, lorsque Jacques se réveilla, il ouvrit un œil et s'étonna : derrière sa fenêtre, il constata qu'un énorme haricot avait poussé pendant la nuit ! Prenant appui sur le rebord de la fenêtre, il grimpa sur la tige. Bientôt, il traversa les nuages et sauta du haricot. Il marcha deux bonnes heures, lorsqu'il se retrouva, épuisé, près d'une maison.

« J'ai soif, j'ai faim et je suis fatigué, dit-il à la servante
qui lui ouvrit, puis-je entrer me reposer ?
– Hélas ! Mon maître est un géant qui mange les enfants.
Si tu entres ici, tu mourras. »
Jacques entendit une voix tonitruante à l'étage :
« Alors, ce marcassin est-il bientôt prêt ?
– Une minute, Seigneur ! » répondit la servante. Elle attrapa
la main de Jacques et ouvrit la porte du garde-manger
en le priant de se cacher au fond.

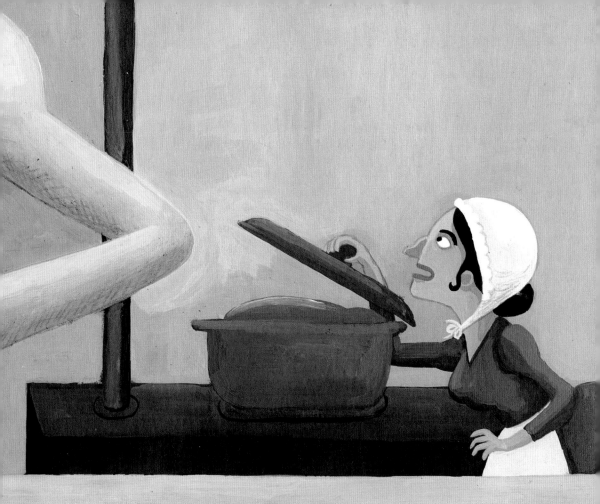

Le géant descendit les marches à grand bruit.

« Ah ! Ça sent la chair fraîche ! Tu as fait entrer quelqu'un !

– Non, Seigneur, dit la servante. C'est certainement l'odeur
du marcassin que j'ai préparé.

– Ça m'étonnerait ! » dit le géant.

Et il se mit à chercher dans tous les coins en criant :

« Ça sent la chair fraîche ! »

Dissimulé derrière d'énormes tas de jambons,

Jacques tremblait comme une feuille.

« Vite ! À table, Seigneur, dit la servante, cela va être froid ! »
Elle remplit l'assiette gigantesque de trois gigots, un chevreuil
et quatre dindes.

Après ce repas, le géant appela sa servante :
« Donne-moi mes sacs de pièces d'or, que je m'amuse
un peu avec ! » Elle apporta au géant une grande sacoche de toile.
Le géant joua avec les pièces. Il déclara ensuite qu'il avait bien
mérité une bonne sieste et se laissa tomber sur la table.

Jacques profita de l'occasion pour se glisser hors
de sa cachette. Il s'avança vers la table sans faire
de bruit, remit les pièces d'or dans leur grande sacoche
et s'en empara. Il s'échappa ensuite, mais en passant
le seuil, la sacoche heurta la porte, réveillant le géant.
Jacques prit ses jambes à son cou et s'enfuit
en direction du haricot.

Le géant le suivit mais il trébucha sur le seuil
de la porte et mit si longtemps à se relever que le jeune
garçon put prendre une bonne longueur d'avance.
Il arriva le premier au haricot, s'élança, et se laissa glisser
jusqu'au sol. Le géant était tellement lourd que lorsqu'il
s'accrocha au haricot, la tige plia du côté de la mer.
Déséquilibré, le géant tomba, plongea dans l'océan
et se noya.

À son retour à la maison, sa mère accueillit Jacques
avec des cris de joie. Grâce à l'or, et au vieux monsieur,
ils purent acheter plusieurs vaches, des oies et des lapins.
Et depuis, ils ont toujours l'air heureux, et leur jardin donne
des fleurs et des fruits merveilleux.